# Murmures à la jeu

DU MÊME AUTEUR


*Mabula Taki* (in *Noir des Isles*),
Gallimard, 1995

*Une campagne de folie. Comment j'en suis arrivée là*,
First, 2002

*Codes noirs : de l'esclavage aux abolitions (introduction)*,
Dalloz, 2006

*Rendez-vous avec la République*,
La Découverte, 2006

*Égalité pour les exclus : Le politique face à l'histoire et à
la mémoire coloniales*,
Temps Présent, 2009

*Mes météores : combats politiques au long cours*,
Flammarion, 2012

*Paroles de liberté*,
Flammarion, 2014

*L'esclavage raconté à ma fille*,
Bibliophane, 2002 ; Philippe Rey, 2015

Christiane Taubira

# Murmures à la jeunesse

Philippe Rey

L'éditeur remercie Christian Séranot-Sauron
d'avoir contribué à la publication de cet ouvrage.

«Tenter, braver, persister, persévérer, être fidèle à soi-même, prendre corps à corps le destin, étonner la catastrophe par le peu de peur qu'elle nous fait, tantôt affronter la puissance injuste, tantôt insulter la victoire ivre, tenir bon, tenir tête; voilà l'exemple dont les peuples ont besoin, et la lumière qui les électrise.»

Victor Hugo, *Les Misérables* (3ᵉ livre)[1]

1. Cité par l'historien Patrick Boucheron lors de sa conférence inaugurale au Collège de France, le 17 décembre 2015.

C'est une faveur qui remonte du fond des âges et porte la mémoire du monde. Une génération peut éclairer le présent et offrir à la suivante de choisir l'épaisseur et les couleurs de son propre présent. Par temps troubles et incertains soumis à des bouleversements ardus à lire, cette faveur se fait devoir.

Génération? «Chaque génération doit, dans une relative opacité, découvrir sa mission, l'accomplir ou la trahir», assenait Frantz Fanon, dans une époque où les damnés de la terre inspiraient réflexions, joutes et engagements.

Les analyses et conseils d'adultes n'ont jamais constitué un bréviaire. Fort heureusement, car dégager la route ne signifie pas la tracer. C'est néanmoins un devoir que d'éclairer l'époque, appréhender ses enjeux, dévoiler les contours de ses crevasses afin de livrer un planisphère intelligible sur lequel la génération suivante aiguisera ses choix.

C'est à nous de dire ce que le monde du temps présent recèle de plus périlleux. Et à coup sûr le terrorisme, propulsé depuis une aire géoculturelle durablement instable, constitue le péril le plus errant, au devenir incertain.

Pourtant…

Nos mots d'adultes sont de bien pauvres mots. Si binaires, si sommaires. Si pauvres et figés! Ils crachotent, hésitent, ressassent, radotent et, finalement, ne s'adressent qu'à nous-mêmes. Qu'endiguent-ils de l'ouragan qui nous submerge, bien résolu à nous anéantir?

Barbares? Civilisation? Civilisations? Vrai, mais un peu court pour saisir cette intelligence en mouvement et en métamorphose. Oui, une intelligence. Démoniaque, démente, ayant rompu avec ce qui nous est commun en humanité, mais une intelligence, créative et réactive, cyniquement ingénieuse, furieusement astucieuse, délestée de toute considération en dehors d'elle-même, de toute empathie, y compris envers ceux qui la servent, de toute entrave morale, de toute règle stable, de tout modèle. Cette intelligence hypnotique qui exalte les âmes disloquées, fait cas de toute folie destructrice, s'empare de tout crime, même inachevé, adoube tout forcené, pourvu qu'il soit fanatique et cruel, frappe à l'aveugle et de façon imprévisible de sorte à semer horreur et panique.

C'est une intelligence obtuse, dépressive car elle n'aime rien de ce qui est beau. Elle fait détruire Palmyre, la cité des caravanes, avec une frénésie lugubre. Comme d'autres avaient, avant, saccagé les Bouddhas de Bâmiyân, avec la même jubilation funèbre. Cette rage contre la beauté ressemble à une addiction. Dopés à lapider la splendeur de la pierre, ses exécutants sont insensibilisés et prêts à massacrer la grâce et l'éclat de la vie. Ainsi croient-ils pouvoir éteindre la vie en foudroyant celles et ceux qui la célèbrent à l'envi et à l'ordinaire, pétillent de joie, de légèreté, de sociabilité, dans un journal, autour d'un verre, au concert, au match, celles et ceux qui rient des choses, d'eux-mêmes, des autres, de tout, de rien, y compris à mauvais escient.

Qu'opposons-nous à cette intelligence méphistophélique ? Des phrases courtes ! Des mots qui sonnent et résonnent, mais ne raisonnent plus. Ou, comme ici, sous cette plume, une profusion de mots qui disent davantage sans doute notre sidération et notre entendement désorienté, que ce que nous sommes capables d'en comprendre.

Enfermer ce monstre dans des définitions lapidaires ne sert qu'à ratifier notre défaite. Le décrire plus longuement, avec les quelques termes supplémentaires réquisitionnés pour rendre compte de sa nature et de ses capacités tentaculaires, sert à clôturer le chapitre sur ce centre de commandement qui ne commande pas grand-chose, mais suggère, inspire, encourage, avalise et valide. Car il faut en convenir : si la stratégie n'est pas subtile, elle est atrocement habile. Une mentalité de forbans, des méthodes de brigands et les moyens d'un État : des territoires sous contrôle, des richesses pétrolières, des expédients financiers – rançons, taxes, rackets – et des comptes bancaires, des capacités logistiques et des forces militaires. S'y agrège un bricolage inventif et buté qui donne non seulement l'impression, les résultats aussi d'une maîtrise des technologies d'information, des techniques de propagande, des artifices de communication. Des procédés d'endoctrinement, à la verticale par les harangues vidéo de prêcheurs charismatiques, à l'horizontale par la mise en relation de personnes éloignées, parviennent à embarquer dans un même projet de départ ou une même expédition meurtrière, avec parfois une emprise sur des fratries entières, des jeunes aux antipodes les uns des autres par leurs parcours, leurs milieux familiaux et sociaux, et même leurs croyances, les convertis récents étant de plus en plus nombreux. En guise de fortifications, des populations sont érigées en parapets par l'effet d'une terreur de masse qui les contraint à des confinements sur place ou à l'exode en afflux continu sur toutes les routes qui mènent au monde.

Ainsi règnent-ils au sommet. Rien qui vaille de prendre langue.

Puis il y a ceux qui recrutent, forment, organisent, contrôlent. Froidement. Peut-être animés de quelque idéologie nihiliste, avec cette flagrante contradiction d'un consentement à un absolu religieux... mais peut-être est-ce justement le subterfuge, le stratagème, la ruse, l'attrape-paumés. Ils planifient, en sifflant et ricanant, la mort des paumés. Il faut admettre qu'ils n'excluent pas la leur, lorsque au sommet les chefs suprêmes, frustes déguisés en calife et cour anachroniques, veillent soigneusement à préserver leur propre vie et leur jouissance de biens matériels et de plaisirs terrestres. Il ne serait de réconfort pour personne d'affirmer que ces recruteurs sont des sauvages, incultes, instinctifs et sanguinaires. Ils sont parfois bien instruits, pourvus d'un vernis social, avec une connaissance fine des territoires, et les codes culturels et sociaux leur sont familiers. Ils sont de la trempe des chefs de guerre dans l'univers du narcotrafic, pas les parrains planqués, les chefs de guerre, avec le même courage physique, le même sang-froid, la même agilité mentale, le même narcissisme sans doute, à la différence notable du rapport à l'argent qui n'est pour eux qu'un moyen de se fournir en engins de mort. Ils partagent cette totale imperméabilité à la subjectivité.

Ainsi sévissent-ils juste au-dessous. Rien qui vaille…

Et maintenant commence l'essentiel.

Car il faut refuser, malgré les intimidations, de capituler intellectuellement. Il nous faut au contraire rester déterminés à gagner la bataille du recrutement, assécher cette armée innombrable qui se lève sur tous les continents, détourner ces soldats, au sens étymologique du mot, qui font allégeance à ces lointains zombies maléfiques et répandent partout la mort, la stupeur et la détresse.

Oui, il faut comprendre pour anticiper et aussi pour ramener du sens au monde. Que les cris des tyranneaux de la pensée cessent de tétaniser nos esprits. Sinon, par omission, nous aurons laissé s'installer de nouvelles frustrations grosses d'exaltations macabres, nous aurons arrosé le terreau où poussent ces contentieux passionnels, nous aurons refoulé vers la génération suivante les arriérés de rancœurs qui voleront la vie des Joyeux, peut-être celle d'enfants déjà orphelins aujourd'hui.

Oui, au pays de Descartes, convoquons la raison. *Cogito ergo sum.* Chacun est responsable de ses actes et doit en répondre. Ne renonçons pas cependant à disséquer la mécanique de cet embrigadement sectaire, ni à déceler les insatisfactions qui le servent. Agir ainsi n'induit aucune atténuation de la gravité des crimes commis. Et quelles que soient les clameurs hypocrites ou affolées qu'elle soulève, cette décision d'explorer, de comprendre et de vaincre est inébranlable.

Oui, au pays de Montaigne, posons la question : que sais-je ? Et choisissons de ne pas dévier le regard, d'oser ausculter ce qui réveille une fois encore les fièvres bellicistes des religions lorsqu'elles sont instrumentalisées, de démonter les ressorts sur lesquels ces emballements reprennent leur ouvrage exterminatoire.

Oui, au pays de La Boétie, cherchons de quel limon se nourrit ce consentement à la suprématie d'un seul, lointain, sans vertu, à quoi tient cette obéissance aveugle, sur quoi repose cette servitude volontaire qui conduit tueurs et kamikazes à tant obscurcir le jour, nos jours, leurs jours.

Oui, au pays de Simone Weil, refusons de voguer à la surface des choses, il faut fendre les flots et s'aventurer dans les eaux tumultueuses jusqu'au cœur du tourbillon, il faut percer, mesurer, atteindre l'œil du cyclone pour en connaître l'intensité, il faut prospecter les contradictions, les faire rendre gorge, débusquer les vides qui servent de grottes à ces déviances sanguinaires.

Qui sont-ils? Quel funeste dessein servent-ils? À quel maître aliènent-ils leur libre arbitre? Comment ce maître, avec son pouvoir totalitaire, les suborne-t-il?

D'aucuns ont voulu croire qu'il existait un profil type: le jeune de banlieue, pauvre et analphabète, marginal, brutal et frustré, misogyne, de parents illettrés forcément étrangers, évidemment maghrébins. Bien commode pour les essentialistes qui voient la destinée de chacun à travers son phénotype. Sauf que, s'il est vrai que certains répondent à ce portrait, ils ne sont pas nombreux.

D'autres ont cru pouvoir définir un parcours type : aide sociale à l'enfance, décrochage scolaire, trajectoire chaotique, chômage, rapines, violences et dégradations, condamnations multiples, casier judiciaire saturé. Bien pratique pour les sociologistes qui lisent les causalités à travers une grille désuète et ont quelques difficultés avec la notion même d'équation personnelle. Certes, quelques-uns d'entre eux ont eu ces parcours, mais les retenir en archétype reviendrait à prendre le risque d'enfermer dans le schéma fatal d'une infime minorité le sort d'une très large majorité de jeunes qui s'arrachent à tous les déterminismes sociaux, économiques et familiaux, à toutes les insuffisances de la puissance publique, pour creuser malgré tout le sillon de leur chemin de vie.

D'autres encore ont voulu désigner un lieu type : la prison. Confortable pour les fétichistes de la détention. Ils se sont entêtés à faire fi des chiffres, stables depuis bientôt trois ans, selon lesquels la proportion de personnes radicalisées susceptibles de l'avoir été en prison se situe à 15 % environ. Depuis le début de 2013, tout en instaurant une politique de détection, de contrôle et de contrainte de la radicalisation en prison, nous avons mis en lumière, pour qui voulait bien l'entendre, que les principaux foyers de radicalisation sont dans la société, minoritairement dans certaines mosquées, massivement via internet et les réseaux sociaux. La tragédie du 13 novembre est venue comme une douche glacée imposer cette évidence jusque-là inaudible : aucun des terroristes n'était passé par la prison ; le casier judiciaire le plus chargé l'était principalement pour des délits routiers ; la plupart d'entre eux avaient des casiers vierges, n'ayant jamais eu affaire à la justice, et un seul avait fait l'objet d'un contrôle judiciaire à la suite d'un signalement le reliant à une filière syrienne.

Assurément, ils sont tout cela. Le profil, le parcours, le lieu. Malheureusement, ils sont aussi autre chose : instruits et qualifiés, issus de familles de la classe moyenne, avec un parcours lisse ou linéaire. Leurs mobiles sont variés. Ils ont peut-être en commun d'être dans cette tranche d'âge où le mal-être intensifie parfois jusqu'à l'hystérie les troubles de l'adolescence, les failles narcissiques, la révolte débridée contre le sort, contre des faits, contre les hiérarchies, contre des abus, des chimères, ou pour de justes causes. Il peut y avoir parmi eux des criminels, mais aussi des idéalistes, des bigots et des dévots, des fanatiques, des convertis. Une fois alpagués par les cyniques et sinistres propagandistes du califat, shootés à l'horreur des vidéos de décapitations, transis de frissons fantastiques, ceux qui sont incapables d'appréhender l'espace entre fiction et réalité basculent dans l'horreur absolue, se prenant pour des cavaliers de l'Apocalypse.

Combien sont-ils ? Trop nombreux. Près de deux mille sont repérés. Cent cinquante ont trouvé la mort sur zone de guerre. Deux cent cinquante sont en zone de transit, autant sont de retour en France ou dans un pays tiers, en Europe ou ailleurs, et près de six cents sont engagés dans des filières irako-syriennes. Une majorité d'hommes, 62 %, et de majeurs, 77 %. Six cents, c'est É-NOR-ME lorsque l'on sait les ravages colossaux qu'ont commis trois d'entre eux en janvier, neuf en novembre.

Un tiers de mineurs, donc. C'est bien sûr beaucoup, un seul serait de trop. La banlieue populaire reléguée est surreprésentée, et cette surreprésentation nous enseigne quelque chose ; cependant, de grandes agglomérations, leurs zones pavillonnaires, des communes rurales procurent également leur contingent de semeurs de mort. Profils, milieux et lieux sont divers, une disparité de provenances qui se trouve accentuée par la transversalité confessionnelle. Qui n'est pas un œcuménisme. En effet, leurs familles sont musulmanes, mais aussi athées, catholiques, protestantes, juives, les convertis récents s'adonnant avec zèle sur des mobiles brinquebalants, une téléologie de bazar, des malfaçons opératoires à cette entreprise d'extermination. C'est aussi, hélas, cette capacité à dissoudre dissemblances et dissonances dans une même adhésion au désastre qui fait de cette engeance de recrutement un ennemi redoutable. Nonobstant ces considérations, cette faillite n'emporte pas toute la jeunesse en difficulté.

De pertinentes analyses, émises depuis plusieurs années par d'éminents sociologues, révèlent sans peine ce que le sociologisme ne perçoit pas : bien que pouvant être accablants, le contexte économique, les conditions sociales, le cadre familial, l'environnement culturel, l'humiliation fréquente ne conduisent pas inévitablement à ces dévoiements. Ils jouent plus souvent un rôle moteur dans la mobilisation associative, la combativité sociale, la créativité professionnelle. Cette aptitude du plus grand nombre à ne pas sombrer dans cet aveuglement macabre n'amoindrit pas l'injustice de telles conditions de vie, ni tous les dégâts qu'elle provoque. Il faudra s'y atteler avec plus de volontarisme et d'ambition que jusqu'alors.

Tentaculaire. Il se moque des frontières, des langues, des cultures, des ancrages, des parentés, des destinées. Il pervertit tout. Il se drape dans d'anciens atours, recycle des survivances, invente, adopte des figures nouvelles, protéiformes, diversifie les lieux, les cibles, les méthodes, multiplie les références religieuses, culturelles, superstitieuses, pervertit tous les imaginaires, utilise tous les supports.

Il éprouve le monde entier. Par le recrutement de combattants qui proviennent de plus de cent pays, par le pullulement des mimétismes, par le spectacle instantané livré à tous, par les nationalités de victimes. Il vise certains pays plus que d'autres. Il déstabilise les États, se joue des équilibres régionaux, piétine l'espoir d'un ordre international crédible et efficient. De conséquence, la sécurité de tous dépend de la capacité de chacun à contenir la menace chez lui. Toute riposte est nationale, mais aucune ne peut être que cela. Ce sont bien nos capacités conceptuelles et opérationnelles multilatérales qui sont interpellées et mises à l'épreuve. Ce n'est pas seulement chez soi mais aussi fermement et réellement dans les instances internationales que se peut construire une contre-offensive solide et durable.

Il… Comment le qualifier? Comment le nommer? S'agit-il de reprendre le nom qu'il se donne, lui reconnaissant ainsi un pouvoir de haute portée symbolique? Et subsidiairement, une autorité sur ceux qu'il enrégimente? Débat embarrassant car l'admettre djihadiste, comme il se définit lui-même, contribue à entériner un hold-up sémantique et à certifier le pouvoir d'une autorité suprême sur les ouailles d'une religion sans clergé. Il faudra cependant réussir à le nommer. La question divise encore aux Nations unies. C'est pourtant une obligation, en dépit des difficultés émanant de pays membres des Nations unies ayant l'islam pour religion d'État, ou d'autres, notamment d'Amérique centrale et du Sud, qui se souviennent encore de mémoire vive que leur lutte d'émancipation fut ainsi qualifiée. Si les musulmans n'ont pas à y voir en tant que tels, l'islam a à y voir. Toutes les religions génèrent du fondamentalisme. Ces fondamentalismes ont produit intolérance souvent, violence parfois. En ce moment, c'est l'islam qui fournit à cette échelle transnationale de telles opportunités à la radicalité. Du moins, son détournement. Dans la lettre ouverte qu'ils ont adressée le 19 septembre 2015 au calife d'usurpation, les cent vingt-six savants sunnites du monde entier démontent la calamiteuse esbroufe. Ils démontrent, se référant aux principes émanant du prophète Mahomet, aux règles de la charia, aux prescriptions du premier calife, que tout ce qui vaut commandement ou droit de la guerre dément rigoureusement tout fondement théologique islamique aux massacres, aux décapitations, aux humiliations, à toutes ces cruautés auxquelles se livrent les dérisoires soldats du califat, féroces et déviants, à travers les exécutions, mutilations, tortures, violations et viols divers, à toutes ces innommables exactions qui font la marque de cette chose difforme, hideuse, aberrante qui se nomme Daesh.

Et si je me mêlais de ces choses savantes, je convoquerais l'émir Abd el-Kader, guerrier émérite dont la vaillance a été reconnue de son vivant, qui affirmait que «les prophètes ne sont pas venus pour controverser avec les philosophes, ni pour annuler les sciences de la médecine, de l'astronomie, de la géométrie. Ils sont venus pour honorer ces sciences, pourvu que la croyance en l'unité de Dieu n'y soit pas contredite». À Mgr Mavy, évêque d'Alger, qui le remercie pour le traitement réservé aux prisonniers français, il s'en explique simplement : «Ce que nous avons fait de bien avec les chrétiens, nous nous devions de le faire, par fidélité à la foi musulmane et pour respecter les droits de l'humanité... »

L'islam doit parvenir à se débarrasser de ce parasite encombrant et malfaisant. Et nous devons forger une épithète à ce terrorisme-là. Parce qu'il a une narration différente du terrorisme xénophobe qui a sévi à Utoya ou du terrorisme suprématiste qui a frappé à Charleston, il devra trouver sa caractérisation, l'occasion peut-être de séculariser un peu plus les relations et discussions au sein de l'Onu.

Quelle puissance dévastatrice ! Mais aussi, quelle puissance tout court, pour ainsi fasciner, ensorceler, envoûter ces dizaines de milliers de jeunes qui savent si peu de la vie, n'en sont qu'à l'orée, et néanmoins abdiquent toute curiosité et toute appétence pour ses promesses et ses imprévus, en acquiesçant à désirer la mort aussitôt l'avoir semée. Les analyses de Rachid Benzine sur l'obscurantisme triomphant, sur les illusions de restauration du califat et le rôle de certains États dans la fanatisation des masses, ainsi que celles d'Olivier Roy sur cette « deuxième génération » plus en quête de radicalité que de religion, nous fournissent des clés précieuses pour appréhender cette improbable combinaison de croyance lacunaire et de délire militaire.

Évidemment, il a ses idiots utiles. Ceux qui, souvent à partir de lieux solennels, et depuis si longtemps, avec constance, hantés par l'origine, l'apparence, l'accent, les accessoires vestimentaires, les préjugés, les fantasmes et les fantômes, profèrent des paroles de défiance, d'exclusion, se repaissent d'avanies accusatoires, lancent des anathèmes, jettent des ordalies fatales. Impunément. Quel âge avaient-ils en 2005, ceux qui, aujourd'hui à 23, 26, 28 ans, répandent cette terreur meurtrière ?

Il a ses alliés objectifs, au premier rang desquels les auteurs de l'état du monde, avec ses fractures, ses scandaleuses concentrations de richesses, ses dynamiques économiques et sociales qui fabriquent à large échelle des pauvres, des migrants de la misère, de la guerre ou du climat, et fixent sur place tant de personnes confrontées aux accidents de la vie, à des fragilités inattendues, à d'infrangibles indifférences, à l'isolement, à la marginalisation, à la désaffiliation sociale. Cela arrive massivement au Sud, et de plus en plus au Nord.

Il a ses complices, bandits sans feu ni lieu qui pratiquent tous les trafics, stupéfiants, armes lourdes et légères, ainsi que la traite des personnes, et utilisent souvent les mêmes canaux de blanchiment que les fraudeurs fiscaux. Alliance de coquins, voyous, hors-la-loi et criminels contre les démocraties, leurs règles de droit et de solidarité.

Impossible de croire ou de faire croire que nous n'avons rien à voir dans l'entropie envahissante. Impossible que nous n'ayons rien à dire sur le Moyen-Orient, spectaculaire échec de deux générations, malgré Yitzhak Rabin, monumental. Impossible que nous ayons perdu la mémoire des intrigues et ingérences en Iran et de leurs conséquences. Impossible que nous soyons étrangers au chaos en Libye. Impossible que les pétromonarchies aient prospéré à notre insu, que la notabilité de régimes autoritaires se soit construite sans notre complaisance, que les frontières aient valsé à notre corps défendant, que la dissymétrie en pertes humaines dans les guerres technologiques ne soit jamais portée à notre débit. Impossible d'ignorer que l'impotence diplomatique et l'impuissance politique des instances multilatérales finissent par être néfastes. Impossible que nous soyons innocents de l'état du monde, des inégalités, des prédations qui perdurent, du détournement des richesses, des connivences en corruption, de l'oppression des femmes, de la persistance des maladies de la misère, des faibles progrès en éducation, de la prolifération des armes, de la dégradation de paysages, de la confiscation de territoires, des déprédations sur des lieux de vie. Nous ne portons pas le poids du monde sur nos épaules, mais nous ne pouvons nous exonérer des effets de nos choix géopolitiques, des sources contestables de certains de nos conforts, de nos défaillances de solidarité.

« Chaque génération, sans doute, se croit vouée à refaire le monde. La mienne sait pourtant qu'elle ne le refera pas. Mais sa tâche est peut-être plus grande. Elle consiste à empêcher que le monde se défasse »,

affirmait Albert Camus déjà en 1957 dans son dis-
cours de prix Nobel.

Que devons-nous au monde, et en réalité à nous-
mêmes ? Le témoignage de Jinan, jeune mariée
yézidie, enlevée dans son village au pied des monts
Sinjar par les kidnappeurs de Daesh, sa voix ferme
pour appeler au secours la France et l'Europe, la
rage humide de son jeune époux pour s'étonner que
30 000 hommes tiennent en échec la communauté
internationale, nous interdisent de nous disculper
autant que de nous agiter.

« Pense avec le monde, il ressort de ton lieu,
agis en ton lieu, le monde s'y tient. » Cette injonc-
tion d'Édouard Glissant est générale. Combien elle
sied pourtant à l'obligation de répondre comme il
convient à ce défi qui nous accule à nous accomplir
ou à nous trahir !

Évacuons une considération parasite. Ces tueurs
se projettent eux-mêmes hors de portée de toute
empathie. Qu'ils se laissent abuser ne fait nul doute,

au regard de la différence de niveau et de maturité entre les recruteurs et les exécutants. Il demeure que, du fait de leur passage à l'acte, ils se rendent inaccessibles à toute empathie : ils tuent, ils se refusent à reconnaître rien de commun avec leurs victimes qui n'ont que le tort de se trouver sur leur passage. Ils ne sont donc ni le sujet ni les sujets de la réflexion. Tout au plus, peuvent-ils en être l'objet, à condition d'être sans influence.

Comment répondre, donc, et faire advenir les temps d'après ?

D'abord une brève revue de nos instruments obsolètes.

Le rétablissement de la peine de mort. Quel effet sur des terroristes qui, froidement, s'attachent à la taille une ceinture d'explosifs et célèbrent leurs noces avec la mort ? Ou sur ceux qui retiennent des otages, savent qu'ils seront pris d'assaut, très vraisemblablement abattus, au point qu'ils se réservent le temps de dicter ou poster leur testament empreint d'une piété de bric et de broc, sollicitant protection pour leur épouse ou fiancée? Cette peine de mort, ils se l'infligent à eux-mêmes, après avoir hélas massacré leurs victimes. En nous amenant à envisager d'y recourir, au moment même où la France exerce un magistère réfléchi et digne dans la mobilisation internationale pour son abolition universelle, ils démontreraient qu'ils exercent sur nous un effet d'épouvante et de désarroi. Ils doivent donc cesser d'être sujets.

La déchéance de nationalité. Déchoir des terroristes, qui songerait à s'y opposer? Binationaux ou non! Mais quel effet sur les mêmes? Ils ne meurent ni Français ni binationaux, ils meurent en morceaux. D'ailleurs, étaient-ils binationaux, les neuf qui ont semé la mort et la désolation dans Paris ce soir du 13 novembre? Par contre, ils en ont tué, des binationaux: vingt-sept! Trois fois plus qu'eux. Ne s'excluent-ils pas de fait de la communauté nationale? Il en est de même pour ceux qui partent en zone de guerre et font circuler des vidéos où ils se mettent en scène, brûlant leur passeport avec emphase. Puisque pour les déchoir sans en faire des apatrides il faut qu'ils soient binationaux, cette déchéance contiendrait une inégalité, les mêmes actes perpétrés par des Français n'ayant pas une nationalité de substitution ne produisant pas les mêmes effets. Cette déchéance ne surviendrait qu'au terme de l'exécution d'une condamnation à une longue peine, soit largement le temps pour l'autre pays de nationalité de déchoir ce condamné afin d'éviter d'avoir à l'admettre sur son territoire. Ce que nous ferons probablement par une loi complémentaire qui serait logique, pour éviter d'avoir à accueillir des terroristes binationaux condamnés ailleurs. Sinon, quel serait le sens d'un échange de terroristes ainsi d'un pays à l'autre? Quant à rompre l'inégalité et étendre la déchéance aux non-binationaux, l'effet en serait plus directement de fabriquer des apatrides. Et il y aurait là l'illustration de la différence entre l'égalitarisme et l'égalité. Là où l'égalité élève en élargissant à tous des droits et des libertés réservés à certains, l'égalitarisme nivelle, par le bas et par le pire.

Pour faire pragmatique – ce qu'on aime de plus en plus –, il faudrait envisager les cas où la dissuasion pourrait fonctionner : sur ceux qui, par lâcheté ou par irrésolution, sont prêts à donner un coup de main, prêter ou louer une voiture, céder un appartement, procurer de l'argent, transporter des armes sans aller jusqu'à risquer leur vie. À distance du crime mais indispensables au crime. Leurs méfaits : des délits. Et voilà l'embarras. Pour des délits, infliger une peine aussi lourde que la déchéance de nationalité et, de plus, ne l'appliquer qu'aux binationaux, heurterait le principe de proportionnalité outre celui de l'égalité.

L'un des effets collatéraux, par ailleurs, consiste-rait à produire du danger. Le gouvernement a mis en place en avril 2014 une plate-forme d'appel, le Centre national d'assistance et de prévention de la radicalisation violente, qui permet à des proches, souvent les parents, de signaler quelqu'un, souvent un jeune, en cours de radicalisation, en imminence de basculer ou en instance de départ. Ce centre a reçu plus de 4 200 appels, correspondant au signa-lement de près de 3 900 personnes, certaines ayant fait l'objet de plusieurs signalements. Ce nombre important, sur une durée significative, dix-huit mois, vaut statistique et surtout fournit des éléments sociologiques pleins d'enseignement. Fin 2015, plus de la moitié, 52 %, des personnes signalées sont des convertis récents. Les familles qui appellent sont dans un rapport de confiance dans les institutions, dans la police en particulier. Elles appellent au secours, n'en attendant que du bien. Elles sont de la classe moyenne, pour la moitié non musulmanes puisque les jeunes signalés sont à cette proportion des convertis récents, elles résident dans les grandes agglomérations, dans les zones pavillonnaires ou dans des communes rurales plus ronronnantes qu'en déshérence. Qu'en est-il des familles qui sont culturellement éloignées des institutions, entre autres raisons parce qu'elles le sont géographiquement et socialement ? Qui vivent dans la peur, fondée ou non, de la police ? Dans la crainte que le signalement ne pénalise leur enfant en le faisant ficher, et ne desserve leurs autres enfants ? Déjà, actuellement, ces familles ne recourent pas au Centre de signalement, elles restent à macérer dans leur angoisse et fabricotent dans leur coin des réponses ou des filets de sauvetage troués. On imagine sans peine que celles dont les enfants sont binationaux se replieront encore davantage.

Il est plus que temps que ces terroristes cessent d'être sujets, à peser sur nos raisonnements, à brouiller notre clairvoyance.

Disons cependant les choses tout entières. La France a signé la convention internationale sur l'apatridie en 1962. Cette convention est entrée en vigueur en 1975, mais la France ne l'a jamais ratifiée. Elle a signé en 2000 la convention européenne sur la nationalité, mais ne l'a jamais ratifiée. En clair, son gouvernement d'alors l'a signée mais ne l'a pas soumise au Parlement pour confirmation. On peut y puiser argument pour affirmer qu'elle n'est, de ce fait, pas tenue de respecter cette interdiction de bricoler des apatrides. On peut même se référer à d'autres pays et comparer le droit et les pratiques, sans convoquer ni l'Histoire ni la charge métaphorique de certains de ses énoncés. Certes le Royaume-Uni et les Pays-Bas, qui sont des pays démocratiques, bien que non dénués de reproches sur certaines libertés (mais quel pays l'est?), autorisent la déchéance, quel que soit le statut dans la nationalité, de naissance ou par acquisition. Mais l'Espagne l'interdit pour ses nationaux de naissance, de même que la Belgique; l'Allemagne interdit la déchéance, mais son droit prévoit la perte de nationalité; il en est ainsi en Italie, en Autriche, en Suisse. Aux États-Unis, la loi permet la déchéance, mais la Cour suprême a émis une jurisprudence qui, en réalité, rend possible la perte, pas la déchéance, instaure une équivalence entre nationaux de naissance et nationaux d'acquisition, et considère l'apatridie comme étant «encore plus primitive que la torture». Quant à la France, la loi du 16 mars 1998 y interdit de rendre un Français apatride. Évidemment, la norme internationale, via les conventions, et la norme constitutionnelle sont supérieures à la norme législative. Mais imagine-t-on sérieusement de s'y abriter, sans honte? Faudrait-il n'avoir ni respect pour son sens éthique, ni considération pour sa signature, ni souci de sa réputation, ni fierté de son aura, pour faire à cette occasion de la casuistique et se camoufler derrière une carence juridique pour justifier une dérobade morale et politique ? Ce serait traiter la France comme moindre qu'un pays ordinaire… et se résoudre à ne plus croire qu'elle occupe une place singulière au monde, au motif de son histoire, de ses principes, de ses valeurs, de son goût pour le grandiose, de ses exigences de rectitude. Il faudrait alors cesser de se réjouir de l'hommage que lui rendent tous les pays du monde en venant battre le pavé à Paris ou en arborant ses couleurs et ses emblèmes chaque fois qu'elle est frappée. Il faudrait se défaire de l'habitude de parler haut dans les instances internationales, car cette parole n'aurait plus le poids d'un pays crédible et responsable.

Inefficacité immédiate donc, par des effets nuls en matière de dissuasion. Inefficacité différée aussi, car au terme de l'exécution de la peine, si la nationalité alternative est celle d'un pays où se pratiquent des traitements inhumains et dégradants, où la peine de mort est en vigueur, le droit européen s'opposera à l'extradition, comme ce fut le cas ici en 2009. Et alors, quel effet de démoralisation collective!

L'absence totale d'efficacité, unanimement reconnue, suffit-elle pour renoncer à la déchéance? Non, bien sûr! Et puisque l'efficacité n'est pas la finalité, raisonnons principes et symboles.

D'abord, le principe. Osons le dire: un pays doit être capable de se débrouiller avec ses nationaux. Que serait le monde si chaque pays expulsait ses nationaux de naissance considérés comme indésirables? Faudrait-il imaginer une terre-déchetterie où ils seraient regroupés? Quel aveu représente le fait qu'un pays n'ait les moyens ni de la coercition ni de la persuasion envers l'un de ses ressortissants? Quel message d'impuissance, réelle ou présumée, une nation enverrait-elle ainsi?

Oui, le principe est dur à entendre mais il est intangible.

Ensuite, puisqu'ils seraient potentiellement si peu à être concernés, kamikazes et abattus s'en extrayant eux-mêmes, seuls y seraient exposés en réalité les condamnés à longue peine. Ces déchéances ne prendraient effet que dans dix, quinze, vingt ans ou davantage, sur des condamnés probablement déchus entre-temps par l'autre pays, n'ayant en conséquence plus qu'une seule nationalité, susceptibles de devenir apatrides et ne pouvant plus être déchus. Et nous voilà face à l'introuvable déchu. L'essentiel est donc bien, en effet, dans le symbole.

Est-ce si peu, le symbole?

Au contraire. Il arrive que le symbole soit tout. Dans son acception latine, le symbole révèle l'état de connaissance. Joris-Karl Huysmans (pas fréquentable pour ses préjugés misogynes) définit le symbole comme «la représentation allégorique d'un principe sous une forme sensible».

Le symbole joint. Il met ensemble. C'est ce que professe son étymologie grecque. Il rassemble, comme la symphonie assemble des sonorités en beauté, comme la symbiose assemble en vie. Il est sémiotique, autrement dit il est signe et transporte du sens. Ce sens est implicite car il se réfère à une histoire et une écriture nationales. Il porte la signification d'un acquis situé au-dessus de nous. Il est chargé d'énergie. Un symbole n'est donc jamais banal. Il a une fonction sociale et une dimension éthique.

À qui parle et que dit le symbole de la déchéance de nationalité pour les Français de naissance ? Puisqu'il ne parle pas aux terroristes – si nous convenons que n'est pas concevable un vis-à-vis entre eux et la Nation –, qui devient, par défaut, destinataire du message ? Celles et ceux qui partagent, par totale incidence avec les criminels visés, d'être binationaux, rien d'autre. Ils sont des millions, ils le sont par choix, par ascendant, et parfois dans l'ignorance des règles des pays de leurs parents. Ils sont aussi Français de l'étranger, partis ou vivant à l'étranger, ils y ont parfois rencontré l'amour ; leurs enfants habitent deux univers, évoluent naturellement dans deux imaginaires ou plus, réceptifs à l'autre, disponibles pour le dialogue des cultures, ils témoignent que le fait national français est d'imprégnation universelle.

C'est à tous ceux-là que s'adresse, fût-ce par inadvertance, cette proclamation qu'être binational induit un sursis. Et une menace : celle que les obsédés de la différence, les maniaques de l'exclusion, les obnubilés de l'expulsion feront peser, et le font déjà par leurs déclarations paranoïaques et conspirationnistes, sur ceux qu'ils ne perçoivent que comme la cinquième colonne.

Par ailleurs, le champ du symbole peut receler d'imprévisibles embûches. Ainsi les seules déchéances de nationalité ayant frappé des Français de naissance ont été prononcées par le pouvoir d'État du maréchal Pétain contre le général de Gaulle et ses compagnons exilés à Londres pour organiser la Résistance, contre Pierre Mendès France, contre le général Leclerc, contre Félix Éboué, contre René Cassin, contre Pierre Brossolette. Le seul précédent, en 1848, consistait non en une déchéance, mais en une perte de nationalité pour les esclavagistes qui poursuivaient leur lucratif et crapuleux commerce malgré l'abolition. La perte n'est pas une sanction, mais la résultante d'un constat de comportement. Et ces esclavagistes se trouvaient hors du territoire national, dans les colonies, en Caraïbe, aux Amériques ou dans l'océan Indien, dans ces territoires situés au cœur de bassins régionaux où les rivalités entre puissances coloniales, française, anglaise, portugaise, espagnole, demeuraient vives et où les changements de domination faisaient varier les allégeances. Cela ne réduit pas la force symbolique de cette exclusion ni surtout la détermination du gouvernement d'alors, sous l'impulsion de Victor Schœlcher, avec Lamartine et Arago, d'ériger la lutte contre l'esclavage en priorité nationale. Il pourrait s'en déduire deux incidences paradoxales : cette volonté est telle que les effets de l'exclusion de la communauté nationale vaut en tous points du globe ; ce qui renoue avec le message universel de la France. L'autre incidence est qu'aucune juridiction ni civile ni pénale n'étant désignée pour en statuer, il s'agit bien d'une perte par constat, et non d'une déchéance par procédure. La jurisprudence y répondra un demi-siècle plus tard, le 19 janvier 1998, dans l'affaire El Guerbaoni *vs* France. Cette contextualisation rappelle que la perte, qui est un constat, n'est pas la déchéance, sanction prononcée selon une procédure administrative ou juridictionnelle ; que la déchéance apparaît avec la loi du 7 avril 1915 ; que les principes du droit de la nationalité tels que nous les connaissons aujourd'hui ont été posés, sous l'impulsion du Conseil national de la Résistance, par l'ordonnance du 19 octobre 1945. Le rapport Marceau Long (1987) traite de façon éclairante la question d'être Français, et plus récemment, Patrick Weil s'y est essayé avec une très grande pertinence. Les travaux de Gérard Noiriel et de Dominique Schnapper nous en disent long sur la citoyenneté et le creuset dans lequel s'est modelée, sans se scléroser, la communauté nationale. Ceux de Laurent Mucchielli situent de façon appropriée la place des questions sociales. Les réflexions de Joël Roman sont de grande utilité pour saisir les dynamiques suscitées par des représentations qui érodent, voire révoquent l'appartenance. Et c'est au crible de ces principes et de cette histoire que nous devons éprouver nos choix, sans omettre qu'il est arrivé que la loi leur inflige des accrocs et des reculs, et ne pas choisir de s'appuyer sur ceux-ci comme s'ils étaient neutres.

Pour en revenir à la définition de Joris-Karl Huysmans, qu'emporte la « forme sensible » ? Une conscience de cible chez les personnes concernées, bien que non visées. Une insécurité alarmante pour leurs enfants. Et pour tous ceux qui sont attachés à la construction républicaine du droit de la nationalité, un sentiment d'ébranlement de l'essentiel.

« La gravité d'une question se mesure à la façon dont elle affecte la jeunesse », écrivait Pierre Mendès France.

Ces rappels ne doivent pas servir à dispute. Le sujet est sérieux et lourd. Doublement. Par le danger que représente la menace terroriste, élevée et diffuse. Par la prise en charge collective et solidaire de l'Histoire qui en est la matrice, par le partage des mémoires aussi, par le risque que les mesures indispensables peuvent faire peser sur nos principes, et en dernier ressort sur notre identité, au sens où la définissait Fernand Braudel.

Sans doute avons-nous là l'occasion de déambuler parmi les principes, les symboles, les rituels, les allégories, la devise, tout ce qui fait lien et va de soi, tout ce qui parle plus qu'il ne dit.

Quel peut être le champ de sacralité d'une République laïque? Faute de transcendance, que plaçons-nous au-dessus de nous?

La République laïque a pris ses distances d'avec les religions. Sans les récuser. Elle affirme dans la Constitution respecter toutes les croyances et va jusqu'à assurer la liberté d'exercice des cultes, y compris dans les lieux où le citoyen peut en être empêché: hôpitaux, casernes, prisons. Mais elle permet surtout la liberté de conscience. Elle va plus loin, elle garantit l'égalité. Elle se donne donc pour mission de faciliter la concorde, la vie commune, avec toutes les possibilités ouvertes pour chacun afin qu'en dépit des différences, malgré elles, par-dessus elles, les citoyens se sachent appartenir à la même communauté, qu'ils se sentent invités à titre égal à élaborer le destin commun.

La République respecte les croyances. Elle conserve d'ailleurs un lointain gène de la combativité religieuse. C'est en effet pour se dégager un espace d'expression et de droits que le protestantisme a revendiqué le pluralisme religieux, contre l'exclusivisme catholique qui s'était constitué en pouvoir établi à travers son clergé, devenu fortement influent sur les autorités séculières. Respectant les croyances, elle m'autorise cependant à déclarer que les religions, fondées sur un livre sacré, reposent sur des dogmes et des préceptes. On peut concevoir le besoin de spiritualité, avec ou sans Dieu, on peut entendre la demande de sens eschatologique pour l'espèce. On peut tout autant inviter chacun à définir, en conscience, la part de liberté de pensée et d'action qu'il conserve par-devers lui, le droit qu'il se donne de s'affranchir au moins partiellement de ces dogmes, la marge qu'il s'octroie pour percevoir l'empreinte que l'Histoire, les rapports de force, les stratégies de pouvoir temporel ou des conflits d'époque ont pu laisser dans les versions successives de ces livres sacrés ou dans leurs interprétations. Et d'en relativiser l'absolu.

Faute de transcendance nous plaçons au-dessus de nous les symboles, justement. La Constitution est leur résidence. Elle permet de définir ce qui fonde l'appartenance. Ce qui nous permet d'être nous. Ce qui fait de chacun une part de ce nous indivisible. Construit-on de l'appartenance par la négative ? Constitution est composée de *cum*, ensemble et de *statuere*, établir. Elle est conçue pour protéger les droits et les libertés des citoyens contre les possibles abus de pouvoir, que les tentations viennent des législateurs, du pouvoir exécutif ou même de l'autorité judiciaire. C'est donc par l'affirmation des droits, des libertés, des attributs de citoyenneté qui s'attachent à chacun, des règles solennelles qui s'imposent à tous que se définit l'appartenance. Par le renforcement des symboles qui rallient et relient. Ceux-ci ne peuvent passer au mitan de nous. Ils ne peuvent conserver leur vocation unificatrice et mobilisatrice s'ils tracent une délimitation, une différenciation, avec des germes de démembrement. Elle a déjà bien du mal, la République, à être mieux qu'une incantation, plus qu'un totem, à se décliner sur tous les territoires, dans le quotidien, l'ordinaire et même l'extraordinaire de chaque citoyen. Elle est bien oublieuse des promesses de sa devise, distraite par ces habits neufs et sublimes qui la font planer au-dessus des violences économiques, des antagonismes sociaux, des différends politiques, des opacités culturelles. Elle est devenue moins habile à inclure, plus agile à égarer. Elle a perdu du lustre que lui assurait l'ascenseur social. Elle n'enfièvre plus guère les rêves, n'attise plus les espérances, avouées ou secrètes.

Elle ne peut pour autant, et malgré cette altération passagère, s'exempter d'être ou de redevenir le gîte, le havre, la maison commune, et recommencer à donner hospitalité, pour de vrai, à chacun de ses enfants. Ils sont de toutes origines, de toutes croyances, la Constitution elle-même l'atteste, de toutes particularités. Elle exige d'eux, et rien ne peut justifier qu'ils s'en dispensent, loyauté et protection, strict respect des règles, vigilance sur son intégrité. Cela suppose que l'appartenance à la République transcende toutes les appartenances particulières. Y compris lorsque c'est douloureux. Faire communauté nationale ne va pas de soi. Il faut pour cela consentir des efforts. Contre ses idées préconçues, contre ses sympathies, contre ses aversions, et si nécessaire contre soi. La vie est parfois injuste, souvent elle ne récompense pas tous les mérites. Ce sont ses aléas. Les injustices insupportables sont celles qui émanent des inégalités d'accès à l'éducation, aux soins, à l'emploi, à la culture, au droit, à la mobilité, aux responsabilités, celles qui poussent sur les désordres d'une solidarité défaillante et d'une inéquitable répartition des sacrifices et des richesses. Ces injustices doivent être combattues sans répit. Nul ne se trouve, du fait de ces combats, déchargé des obligations prométhéennes qui lui incombent.

Que signifie la nationalité ? À dire qui est dedans, qui est dehors. Ceux qui sont dehors ne sont ni adversaires ni ennemis par essence. Ils peuvent le devenir par choix. Ils peuvent être frères ou amis par inclination. Ils peuvent cesser de l'être par convenance. Ou par dépit. Nous faisons monde, en conscience ou en ignorance. La mondialisation est. La dénégation ne riposte en rien à son âpreté ni à ses dérives, pas plus qu'à ses vertigineuses opportunités. La seule réponse viable et féconde est dans la mondialité, une poétique de la relation, selon Édouard Glissant.

La communauté nationale a connu une longue gestation avant de devenir ce qu'elle est : bien qu'encore fragile, une nation civique. Elle commence à s'ébattre avec Clovis lorsqu'il franchit la ligne vers l'exogamie. À la bataille de Valmy, lorsque le 20 septembre 1792 le général Kellerman crie *Vive la Nation !* et que le cri est repris par les milliers de voix qui montent des troupes, rien ne distingue plus les uns des autres, ni leur origine, ni leur apparence. C'est ensemble que non seulement ils font reculer l'armée conduite par le duc de Brunswick, mais apportent à la Révolution française la solidité qui lui permet de proclamer la première République. La communauté nationale s'est édifiée sur une diversité originelle, celle de territoires, d'identités régionales fortes, de revendications régionalistes soucieuses de se hisser comme part du patrimoine au titre de composantes nationales, réclamant à la fois particularismes et appartenance ; elle s'est adossée au soutènement démocratique du suffrage universel et de l'ambition d'égalité entre tous les citoyens.

La citoyenneté est définie en même temps qu'apparaissent dans le code civil le *jus sanguinis*, droit du sang qui reconnaît à un enfant la nationalité française, où qu'il soit né, dès lors que l'un au moins de ses parents est français, et le *jus soli*, double droit du sol qui reconnaît à un enfant la nationalité française lorsqu'il est né en France et lorsque au moins l'un de ses parents y est lui-même né.

Ce que la République attend des citoyens qu'elle protège, c'est qu'ils veillent sur elle, sur les piliers qui la soutiennent, sur les principes qui la structurent. Qu'ils soient les vigies inlassables des articles premier et six de la Déclaration des droits de l'homme et du citoyen ainsi que du préambule de la Constitution de 1946, parties intégrantes du bloc de constitutionnalité. L'appartenance par la nationalité en fait partie.

Que les sondages révèlent une large adhésion à la déchéance de nationalité pour les Français de naissance, cela n'a rien de surprenant. Après la conflagration que nous avons reçue en plein plexus, il est normal que nous ayons le souffle coupé et que nous absorbions goulûment toute première bouffée d'air. Et déchoir de leur nationalité ceux qui nous infligent ces conflagrations, sans penser qu'ils sont au sol, en morceaux, sans prendre conscience que ceux qui seront appréhendés devront avoir d'abord exécuté leur longue peine, ou même, le comprenant, se dire que le moins que l'on puisse faire c'est les déchoir, les exclure, ne pas les reconnaître comme nôtres de même qu'ils s'excluent de nous, et avant tout, le proclamer – tout cela est normal et sain. La responsabilité politique implique de rappeler les ancrages et de tracer des perspectives. Ces ancrages tiennent à l'enracinement dans l'humanisme alerte qui imprime l'identité de la Gauche. Sur l'attachement à la nation, la Gauche fait la différence entre le nationalisme, crispé, soupçonneux, souvent haineux, voyant et traquant des ennemis partout, au-dehors au-dedans, et le patriotisme qui consiste à exprimer son attachement à son pays pour ce qu'il est et pour la part qu'il prend à hauteur du monde dans les progrès qui épanouissent la personne et élèvent la société. Entre Barrès et Jaurès, a-t-on déjà jugé. Sur les conditions du vivre ensemble, la Gauche fait la différence entre la sûreté, prescrite par la Déclaration des droits de l'homme et du citoyen comme un droit naturel et imprescriptible, et la sécurité qui en fait partie doit être assurée avec la plus grande exigence et avec constance par des politiques publiques préventives et répressives adaptées et efficaces, sans constituer ni la finalité ni le cœur du message de cohésion.

Quant aux perspectives, elles sont dans la capacité à dégager une voie d'avenir fidèle à cet ancrage en échappant à la tyrannie du présent, tout en tirant conséquence du contexte, de la conjoncture, de l'état d'esprit, de l'état du monde, des nécessités politiques.

La Gauche a fait plusieurs fois la démonstration de sa gestion performante des affaires publiques. Elle a fait plusieurs fois la preuve de son efficacité en matière de sécurité. Elle a ainsi, à travers l'Histoire, acquis et consolidé une expérience de conduite de l'État, elle a réussi chaque fois qu'elle a servi ses valeurs, qu'elle est restée fidèle à ses idéaux. Les courbes de croissance, les marges de profit, les modèles économétriques, les cours de la Bourse, les détours de communication, les tactiques effrontées, la tyrannie des paramètres, des indices, des taux continuent d'exercer et d'étendre leur emprise sur la décision publique. La Gauche au pouvoir a su et sait encore les reconnaître mais ne leur reconnaître que l'espace qui leur revient. Elle sait qu'elle n'est pas tenue de devenir la soldatesque au service d'un monde où règnent le désordre social et l'impuissance politique. Elle a ainsi ajouté à son énergie sociale, sa crédibilité technique. Elle a continué à se distinguer sur le champ de l'éthique, du bien commun, de la morale publique : qui l'économie doit-elle servir ? Par quel contrat et quel lien tenons-nous ensemble ? Dans « communauté nationale », il y a ce que nous avons en commun, et d'abord des valeurs. En des moments troublés, quand la République s'est tellement diluée qu'elle a perdu ses callosités et la mémoire de ses plaies et bosses pour ne plus être que le rempart de positions acquises, c'est justement sur le terrain des valeurs que la Gauche peut et doit renouer avec son identité historique et combative.

S'il s'agit de sanctionner, nous ne sommes pas désarmés. Le code pénal a prévu depuis une ordonnance de 2000, des sanctions extrêmement lourdes, trente ans de détention criminelle et 450 000 euros d'amende pour toute intelligence avec une organisation étrangère ou tout acte d'agression contre la France. S'il s'agit d'un symbole, dans sa double dimension cognitive et sensible, nous le conservons pour faire vie commune, nous le polissons comme un joyau de notre trésor indivis, nous entretenons sa vitalité, nous le renouvelons pour tracer ensemble nos chemins d'avenir, pas pour le brandir contre des monstres indifférents, ignares ou hilares.

Faute de fabriquer une appartenance plausible et accueillante, la République laisse du champ à l'endoctrinement par les marionnettistes sans scrupules qui, bafouant toute probité, parviennent à berner les esprits désemparés en assenant : « Vous ne serez jamais plus algériens, marocains, tunisiens, maliens, sénégalais, et vous ne serez jamais français. Soyez musulmans, c'est votre seule identité stable et légitime. »

Il faut démolir cette impasse. Trop stérile et trop potentiellement meurtrière.

Céder à la coulée d'angoisse et se laisser entraîner, au lieu d'endiguer, signe la fin du Politique et de la politique. Le glas. Plus fatal que l'hallali.

Lorsque le peuple doute de lui-même, il devient salutaire de lui rappeler ce qu'il a pu dire, y compris de contraire à ses principes et ses mœurs, ce qu'il a su faire, y compris dans l'adversité la plus rude. Il est bon de rappeler qu'il s'est trouvé des citoyens pour se livrer à la délation. Ces faits d'histoire ne doivent pas devenir de vieux démons, mais ils invitent à une prudence protectrice. L'histoire nous réserve parfois de ces feintes qui dénaturent profondément une intention de puissance publique. Une pensée me taraude. Même dans quinze, vingt ans ou plus, la seule idée qu'une personne pourrait, du fait de sa double nationalité, être bannie à tort de la communauté nationale, ou en être apeurée, me paraît terrifiante. Il suffit de vivre hors les murs, de croiser et côtoyer les gens pour voir et ressentir la peur chez certains, et ce qu'elle creuse, la peur de la monstruosité plus encore que des monstres, la peur du boomerang aussi. Il est des choses trop inflammables pour s'en approcher sans méfiance avec deux silex à la main. L'un des silex est cette déchéance de nationalité visant des Français de naissance binationaux, l'autre est la triste et possible capacité pour la cheffe d'un juteux négoce familial d'accéder au pouvoir suprême. Je suis prise de convulsions à la seule idée qu'un enfant pourrait être emporté, un jour, fût-il lointain, par le torrent de cette imprudence.

Lorsqu'il est pris de doute sur lui-même, ce pays doit se souvenir qu'il s'est fendu à l'oblique pour l'honneur d'un capitaine juif.

Il a accusé le coup et a failli vaciller. Il a ouvert grand la bouche, aucun son n'en est sorti. Alors il a brandi des crayons. Il a écrit des missives sur de maigrichons bouts de papier. C'étaient ses bouteilles à la mer, mais il les a déposés par terre. Il a gribouillé des pancartes, avec des devises brèves, drôles, hardies. Il a marché sans mots. Marché-piétiné, car il était si nombreux qu'avancer était impossible. Et il se tenait chaud, ainsi, de toutes couleurs et de toutes formes, de visages si divers, de cheveux de toutes teintes et toutes textures et même de cheveux recouverts.

Ainsi allait le peuple de France, en ce dimanche 11 janvier.

La jeunesse côtoyait ses vieux, sans les juger ringards, plutôt attendrie de les voir si vigoureux et si émus, certains l'air perdu mais résolus.

Oui, ce jour-là chacun aurait pu entonner cette tranquille bravade de Nina Simone car ce jour-là Paris était une fois de plus comme le monde, «*big and bright and round and full of folks like me who are black, yellow, beige and brown*». Mais personne n'a chanté, même pas ce présage de Barbara : «J'attendrai que ma joie revienne, qu'au matin je puisse sourire»… Il n'y avait pas assez de mots, même dans cette langue profuse, pour dire la pulsion de vie contre cette équipée de la mort, la compassion pour nos insurgés du dessin et la joie qui la déborde, la tristesse ébahie et la force qui la chevauche, le vide de leur absence et la fraternité qui le comble. Il ne savait pas dire son étonnement d'être si nombreux et si varié, si différent et si semblable, alors il a squatté le langage des gestes, il a dit mille mercis et cinquante-douze ravissements avec ses yeux, ses mains, ses bras, avec son corps.

Il a écrit des éclats de poèmes, cueilli ou acheté des fleurs, en a offert, il a allumé des bougies. Il s'est précipité en librairie et a lu ou relu le *Traité sur la tolérance* de Voltaire. Il y a sans doute retrouvé la formulation plus soignée de ses convictions, tant il en est imprégné. Il n'y a rien trouvé qui rende intelligible cette dévotion aveugle au groupe, qui aide à la déconstruire pour la défaire.

Il croyait avoir vécu l'indicible. Et pour ne pas sombrer il a débattu, exploré la liberté d'opinion, d'expression, de conscience, la liberté de croyance, la liberté d'apostasie, de blasphème, d'impiété, la liberté de critiquer, de railler, de persifler, et même la liberté d'offenser. Il a fouillé la liberté sous tous ses replis, l'a examinée sous toutes ses coutures, parce qu'il est ainsi, c'est son caractère, il aime débattre à perdre souffle.

Puis survint ce vendredi 13 novembre. Son fracas et ses hululements. Plus grande sidération était donc possible! Ils n'auront pas les survivants! Même étourdis et interloqués, ceux qui sont valides cèdent à leurs élans, ils aident les blessés, assistent les agonisants, apportent douceur et tendresse dans ce capharnaüm de sang, de sons, de cris, d'odeurs et de doutes. De peur, aussi. Sans panique.

Il est sorti. Place de la République. Pour se retrouver et être sûr d'être. Il a tracé des mots cette fois encore sur de maigrichons papiers livrés à la pluie et les a déposés avec une affectueuse révérence sur les lieux du carnage et en cette place de catharsis. Il a apporté des bougies, des fleurs, des objets pour dire que la vie exulte. Et puisque c'est la joie de vivre qu'ils veulent détruire, il a convoqué sa joie malgré le malheur, malgré la peur, malgré la douleur. Le cœur n'y était pas mais les corps et les esprits relevaient le défi. Et puisque la jeunesse était visée, des jeunes sont revenus, en couple, en bande, en essaim sur les terrasses des cafés, prêts à faire retentir leurs rires même stridents d'angoisse, même mêlés de larmes, plaisantant sur les choses les plus sérieuses de la vie, comme faire souvent l'amour.

Puis il a de nouveau pris d'assaut les librairies pour célébrer la ville-lumière avec Hemingway, érigeant *Paris est une fête* non en livre de chevet, mais en guide pour une résistance folâtre et radieuse. Il aurait pu aussi rejoindre Éluard attendri : « C'est la guerre ! Rien n'est plus dur que la guerre l'hiver ! Je suis très sale (chez nous on ne marche pas sur le trottoir ni dans la rue), mais quelle joie de venir ici se prélasser ! La ville est toujours ardente. Au cinéma, les gosses sifflent *La Dame aux camélias*. Et nous, nous demandons déjà à ceux qui traversent la ville pour aller ailleurs s'ils cherchent des diamants avec une charrue. »

Tandis que la jeunesse se révèle, les vocations émergent et les candidatures affluent pour accomplir un service civique, intégrer la police, servir dans l'armée. En d'autres temps, un tel engouement eût paru suspect, d'une virilité démonstrative, d'un machisme archaïque ou même d'un nationalisme étriqué. Les circonstances donnent un autre relief à ces élans. C'est du patriotisme avec ses ressorts de courage et d'amour, son idéal de vaillance et de justice, sans le poison de la haine de l'autre. Le patriotisme n'est pas que « la joie de partir avec des étendards et des femmes en pleurs», comme l'écrivait Jacques Rivière. C'était il y a un siècle. Ces jeunes veulent prendre leur part dans la protection d'un pays en danger, ils sont prêts à aller au feu pour que vivent les autres, en paix. Et parce qu'ils ont connaissance, curiosité, gourmandise, inclination, désir pour le monde qui les entoure, qu'ils fréquentent, qu'ils étreignent, qui leur ressemble tant, ils savent les trésors de l'altérité et l'inanité du rejet d'autrui. Les exceptions, probables, n'y changent rien. Ils tiennent la dragée haute. Comme leurs aînés.

Appartenir à un peuple qui riposte aux cataclysmes haineux par des billets, des fleurs, des bougies, des livres, et organise sa résilience avec des méthodes aussi avisées qu'inédites, oblige.

Oblige à connaître sa force, à se savoir partie d'un tout de grande vitalité, insolite et coriace.

Oblige à ne jamais récuser le doute sans lui avoir retourné les poches. À ne pas détaler devant la complexité des choses. À savoir qu'il ne peut y avoir de péremptoire que la volonté opiniâtre et inflexible de protéger. Le reste est piège. Parce qu'il n'existe pas d'assurance tous risques contre la folie assassine. Et que le mieux consiste à discerner au mieux et agir au plus vite.

Sans doute tout cela demande-t-il sinon de blanchir sous le harnais, du moins de déceler combien est immense ce que l'on ne sait pas encore.

Comme Paul Éluard, «j'ai besoin des oiseaux pour parler à la foule». Lorsque la foule, c'est vous, harmonie d'individualités dissipées et sensitives.

Que sait-on à vingt ans de tout ce que les jours et les nuits à venir livreront de mystères, de joies, d'amertume, de déchirements et de reviviscence?

Que sait-on de l'amour indomptable si l'on n'a entendu Nina Simone menacer de cette voix de madrépore *I put a spell on you*, ou, l'ayant entendue, si l'on n'a senti son cœur se dilacérer millimètre par millimètre?

Que sait-on du chagrin d'amour et de son pouvoir magique si l'on n'a entendu Billie Holiday soupirer *Don't explain*, ou, l'ayant entendue, si l'on n'a coulé dans un vertige intersidéral?

Que sait-on de la puissance nonchalante de la réconciliation si l'on n'a entendu Ella Fitzgerald défier *Cry me a river*, ou, l'ayant entendue, si l'on n'a escaladé tous les naufrages?

Que sait-on de la force dépouilleuse de la passion si l'on ne sait qu'il est «des terres brûlées donnant plus de blé qu'un meilleur avril», si l'on n'a fondu en titubant avec Jacques Brel suppliant *Ne me quitte pas*?

Que sait-on des ailes que donne l'ivresse de l'autre si l'on n'a pris leçon du même Brel se perdant dans *La Quête* jusqu'à la déchirure?

Que sait-on de ce que la présence de l'autre peut bouleverser sauf à se fier à Oum Kalthoum qui, avant cette présence, n'avait «aucun passé à méditer ni aucun avenir à attendre»?

Que sait-on de l'hospitalité et de la fraternité si, écoutant Brassens chantant *Pour l'Auvergnat*, l'on ne s'est tout entier embué?

Que sait-on des égoïsmes du monde fatigué et du goût pour le son des canons sans Juliette Gréco qui a si finement perçu *Comme une idée* que *la Terre est très mal embarquée*?

Que sait-on de l'arbitraire et de la brûlure de l'ostracisme si Maxime Le Forestier ne nous rappelle, justement dans son album *Bataclan*, qu'être « né quelque part pour celui qui est né c'est toujours un hasard » ?

Et que sait-on de la plaie béante à l'âme que fore un pays qui refuse de reconnaître pour siens certains de ses enfants, si l'on n'a sué à la voix languissante de J.B. Lenoir et au lamento de sa guitare sur *Alabama blues* ? Combien de jeunes connaissent cette souffrance-là ? Combien ne savent trop précisément ce qu'entend Maxime Le Forestier lorsqu'il interroge : « Est-ce que les gens naissent égaux en droits à l'endroit où ils naissent » ? Mais même cette souffrance se surmonte, ses prétextes se combattent, ses sources s'assèchent et tant d'autres choses attendent d'être découvertes, savourées, croquées puis oubliées ou réfutées, c'est aussi ce que partage Mahmoud Darwich :

*Il y a sur cette terre ce qui mérite de vivre*
*Les hésitations d'avril*

*L'odeur du pain à l'aube*
*Les opinions d'une femme sur les hommes*
*Les écrits d'Eschyle*
*Les débuts d'un amour*
*De l'herbe sur les pierres*

Quoi que l'on ait compris du monde, on n'entre pas dans la vie paupières baissées. Et lorsque foncent les grands périls, qu'enflent les grandes crises, que pointent des désordres inédits, on se souvient, une fois encore, que l'on appartient à un tout de grande vitalité, insolite et coriace. Le monde actuel ne manque pas de dangers. Chaque génération a connu sa part. Et forgé ses réponses, originales, frémissantes, audacieuses, toniques, sensibles, maladroites, démesurées, mais les siennes.

Certaines générations ont proclamé la paix à tout prix, l'amour plutôt que la guerre, la dévotion à Krishna, la philosophie bouddhiste, le *flower power*, les paradis artificiels, la solidarité par-delà les frontières ; il y eut d'emblématiques portevoix, les Beatles en paroles et rock, Joe Cocker par sa gestuelle, Marvin Gaye, *War is not the answer*, Bob Marley, serrant les préjugés raciaux, *War in the East, in the West, up North, down South, war!* D'autres ont connu l'engagement dans des guerres de libération, le Che, Frantz Fanon, Maurice Audin, Henri Alleg, la mobilisation contre les guerres coloniales et l'ont chantée, Jimi Hendrix, Joan Baez, Donovan, ou en ont dénoncé la violence, l'hypocrisie, la frivolité, Jane Fonda, Malcolm X, Mohamed Ali. D'autres ont rêvé d'un monde de solidarité et ont frôlé la peine capitale, comme Angela Davis. D'autres ont fait de la marginalité un culte et se sont distingués par des extravagances vestimentaires ou des pétarades de grosses cylindrées. D'autres avaient déjà connu la guerre et s'étaient engagés au front ou dans la Résistance, aux côtés de leurs aînés, ils y ont brûlé leur jeune âge, Guy Môquet, ils avaient parfois des noms difficiles à prononcer, Manouchian, Witchitz, Fingerweig. D'autres encore ont connu l'amour protégé qui écrête la poésie des enlacements pressés. D'autres enfin, comme Dany le Rouge, ont fait culbuter une époque par l'alliance entre étudiants et travailleurs. D'autres après ont inventé les cultures urbaines, hip-hop, street art, slam et ont fécondé d'inattendus espaces de créativité.

Contemplatifs ou combatifs, ces idéalismes qui ont marqué des identités générationnelles n'ont pas asséché les motifs d'engagements.

Il reste de belles causes à défendre. Elles peuvent fédérer les énergies, même à notre époque où les singularités s'exacerbent dans le triomphe de l'individualisme pour le meilleur, l'arrachement aux déterminismes et l'émancipation personnelle, comme pour le pire, les égoïsmes, la vanité agressive, la susceptibilité cruelle.

Il y a encore des injustices ou des inachèvements, tout près ou loin de nous, car il y a encore des classes sociales, des catégories sociales, des souffrances sociales, des situations sociales, des désespérances sociales, des colères sociales. Des personnes macèrent dans l'amertume et la douleur d'avoir si peu d'emprise sur leur vie, de voir poindre le risque du déclassement social, d'avoir le sentiment d'être amarrés à la rancœur. La République démocratique et sociale ne peut supposer de les ignorer, y compris au motif de la cohésion autour des valeurs républicaines, car ce sont ces mêmes valeurs qui promettent l'égalité. Elles invitent à ne pas s'accommoder de ces inégalités ordinaires qui s'immiscent dans toutes les fissures, les creux et les failles du droit contre la force, dans l'incessante confrontation entre puissance financière et puissance publique, dans les effets toxiques de la cooptation, la morgue des entre-soi. Une vérole, l'entre-soi.

Nul ne saurait vous dire que l'univers dans lequel vous passerez de longues années finira, de lui-même, par devenir paisible. Il continuera de se défaire. Plus longtemps que la paix, ont dominé la force, la violence, le vacarme. Plus couramment, le monde gronde, sourd, mugit. Il se calme plutôt sur de courtes périodes. La tâche qui vous incombe est rude. Mais le monde a déjà connu des fragmentations effarantes. Et des poètes les ont défiées et subverties, comme Aimé Césaire dans *Les Pur-sang* :

*À mesure que se mourait toute chose*
*Je me suis, je me suis élargi – comme le monde –*
*et ma conscience plus large que la mer!*
*Dernier soleil.*
*J'éclate. Je suis le feu, je suis la mer.*
*Le monde se défait. Mais je suis le monde.*

Et avant qu'il ne se défasse, imaginer le partage de la beauté. Un droit fort négligé, pourtant vital. Ce pays offre de la beauté à profusion. Une luxuriance de paysages qui varient les charmes d'une arrière-saison à l'autre. Des cours d'eau familiers aux reliefs rocheux. Des plaines aux forêts, des vallons aux collines de Jean Ferrat. La mer, enragée par moments, autour des phares ou contre les jetées, ses reflets d'argent et ses marées d'équinoxe. La montagne encerclant le regard de Victor Segalen le rabat et le contient que la plaine ronde libère. Un firmament où le soleil poudroie, des étendues où l'herbe verdoie. Et en superbe, une architecture qui trace les périodes et marque les lieux, joue avec les ombres et les angles, pointe des aspérités sous les courbes, marie le bois et la pierre, lustre la brique, polit le verre, fait étinceler et danser la céramique. Les peintres en ont témoigné en styles divers et tous pigments. Les photographes les fixent en noir en blanc en demi-teinte et en phosphorescence. Cette beauté rayonne en façade et en intérieur des bâtiments et monuments, y compris les lieux de culte, cathédrales, temples, synagogues, mosquées ; elle est dans les sculptures de place publique, les musées, sous les porches, dans les cours et jardins. Elle est sous les voûtes de cloîtres, sur le plancher des bordels, les rainures des rues pavées, les arabesques des balcons, les chambranles des fenêtres, les rosaces, les vitraux, les gargouilles, les nefs de caserne. Elle est à portée de regard si la vie rude laisse le temps de lever les yeux, de faire place à la légèreté ne serait-ce que quelques brèves minutes chaque jour. Elle est là, en prodigalité, à portée d'intuition et de sensibilité. Elle est là, nue ou suggestive, prête à offrir du bonheur à qui se donne la peine de vouloir. Par-dessus tout, elle parade dans ces lieux, théâtres, cinémas, opéras, salles de concert et de jazz, de danse et d'acrobatie, de conversations poétiques, là où les mots et le corps la disent, la clament, la chantent, la partagent. Dans tous les arts. Par toutes les formes. Et d'abord dans la littérature. Elle scintille dans les flaques et sur les filets de pluie luisante qui habillent les trottoirs gris. *C'est d'quel côté la Seine?* chante Nougaro. Il y a urgence à enseigner comment accueillir la beauté, urgence à rendre aisée la circulation depuis ces endroits où des balafres de béton ont fait croire un temps à du renouvellement urbain, jusqu'à ces places où la beauté triomphe. Pour qu'elle entre en écho avec cette beauté de l'âme que ceux qui vivent dans ces lieux balafrés croient parfois, à tort, avoir perdue.

Cette demande de beauté est là, latente ou impatiente, indolente ou diligente. Il arrive qu'elle se drape d'un cri, de ce «cri qui est l'autre lumière, et surtout son voyage», nous chuchote Abdellatif Laâbi.

Je viens des Outremers. Cette origine est hors sujet. Car les Outremers, territoires des premières conquêtes coloniales de la période de traite négrière et d'esclavage, ne sont pas spécifiquement concernés par cette problématique de la double nationalité. En effet, après la deuxième abolition de l'esclavage en 1848, ces vieilles colonies sont restées françaises avec un statut sans ambiguïté pour les territoires eux-mêmes ; quant aux habitants, anciens maîtres et anciens esclaves, ils étaient censés être français, sans accéder, pour les seconds, à la plénitude de la citoyenneté. C'est seulement un siècle plus tard, le 19 mars 1946, que la loi de départementalisation rapportée par Aimé Césaire a étendu aux anciennes colonies d'Amérique du Sud, de la Caraïbe et de l'océan Indien, un statut départemental de droit commun, octroyant à leurs ressortissants, au moins par écrit, les attributs de citoyenneté. Cela n'empêche pas que des habitants des Outremers puissent être concernés. Mais ce n'est pas une problématique historique ou territoriale, les ascendances étant plus susceptibles d'être sans citoyenneté sur des territoires reconnus français depuis 1643, que d'être en concomitance ou conflit de nationalités. Par contre, en carrefour des mondes du fait même de cette histoire où les communautés, langues et cultures amérindiennes ont été percutées par l'arrivée des conquistadors européens, puis celle des captifs africains, puis encore des travailleurs engagés venus du continent asiatique, par l'arrivée de proscrits européens déportés dans les bagnes, de chercheurs d'or caribéens, de travailleurs libres accourus de partout par les mers et les terres; en réceptacle de toutes les misères, de toutes les souffrances, de toutes les désespérances, de tous les rêves, de tous les projets, de toutes les expériences, en terres hospitalières aux rencontres biaisées, aux étonnements suscités par une altérité impromptue, des amitiés improbables, des affinités aléatoires, les Outremers enseignent la diversité du monde, la vigilance à l'autre car, comme le martelait Frantz Fanon aux Algériens et aux Antillais dans les années 60, «quand vous entendez dire du mal des Juifs, dressez l'oreille, on parle de vous».

C'est ce que m'enseigne mon origine, si tant est qu'une occurrence aussi contingente puisse faire leçon. Disons plutôt que font sens les leçons tirées de ce singulier bouillonnement d'où a surgi une indomptable vitalité, sur laquelle Édouard Glissant a aiguisé une appréhension des incompréhensions primordiales : comment l'enfermement buté dans des cultures ataviques à racine unique nourrit l'exécration de ce qui bouge et qui dérange. Incapables de percevoir les promesses des cultures rhizomes telles que définies par Gilles Deleuze et Félix Guattari, et que Glissant a transposées aux identités, ceux qui sont effrayés par la diversité et l'imprévisible du monde haïssent tout ce qui est différent, ouvert, inhabituel. Ils sont hallucinés par l'effervescence de la vie et sa part d'imprédictible. Tout ce qui n'est ni figé ni fermé les trouble. Un temps c'est le Juif, un autre c'est l'Arabe, puis le Nègre, puis le musulman, après ou avant c'est la femme, ensuite l'homosexuel, puis le binational… «C'est un étrange sentiment que celui de fixer le destin de certains êtres. Sans votre intervention la médiocre table tournante de la vie n'aurait pas autrement regimbé. Tandis que les voici livrés à la grande conjoncture pathétique… » (René Char).

C'est un peuple qui bouleverse son destin avec des chansons. *Ah! ça ira* en prenant d'assaut la Bastille. *Le Temps des cerises* en s'emparant des Tuileries avant de transformer le salon des Maréchaux en salle de concert. *Le Chant des Partisans* pour vaincre le monstre nazi. Il faut dire que c'est le même qui se laisse aller à la séduction du boulangisme ou aux errements de Doriot, aux séditions des ligues anti-républicaines. Il s'était déjà fourvoyé, admirant Loti, pardonnant à Voltaire la source mercantile et immorale de ses ressources, puis s'était rattrapé dans les cahiers de doléances, le soutien à l'abbé Grégoire, la confiance à Schœlcher. C'est lui qui crée une Union antifasciste et se guérit de l'Action française antidreyfusarde par des luttes qui conduisent le Front populaire au pouvoir. C'est un peuple qui sait montrer grand dévouement et fier courage, qui court au danger pour des causes qu'il concocte avec son cœur, sa raison, son génie et son caractère. Il entretien pour fidélité de recréer ses enchantements. En cela, il résonne en tous lieux, jusqu'en ceux qu'il a lui-même molestés.

*Nous avons connu le feu et la trahison*
*et nous avons fixé le monde*
*de nos yeux ardents*

Nazim Hikmet

Ainsi est-il aisé de se souvenir que le drapeau aux trois couleurs fut, à sa naissance, l'emblème de la révolte contre l'oppression et l'inégalité, la bannière de l'espoir d'une société meilleure, l'étendard des valeurs éternelles qu'il faut chaque jour reconquérir : fraternité, égalité, liberté.

Est-il possible que personne ne sache dire, avec les mots de la vie publique, que nous vivons et résistons ensemble ? S'il en est ainsi, que l'on s'empare alors des mots des poètes ! Les mots de Louis Aragon qui mêle dans de mêmes amours et les mêmes actes de résistance ceux qui croyaient au ciel et ceux qui n'y croyaient pas. Ou les mots d'Antoine de

Saint-Exupéry qui sait faire créer le navire non en enseignant à hisser les voiles, forger les clous, lire les astres, mais en faisant naître dans le cœur des hommes le désir de la mer, le goût d'être ensemble. Avons-nous à ce point désappris à dire ?

Des personnes pleines de joie et de rire, de chants et de curiosité sont tombées. Nous ne prononcerons pas le nom de leurs bourreaux, ils sont au néant. Nous conservons dans nos yeux les visages de nos Joyeux tombés au champ de fête, et leurs noms à l'oreille. Ceux qui les aiment et les pleurent encore ont voulu partager avec nous des photos où ils sont rayonnants, sourires et rires, insouciance comme défi posthume. Sans doute avaient-ils leurs moments de tristesse, de perplexité, d'ennui. Mais nous les avons gravés tels que nous les ont prêtés ceux qui les avaient à leurs côtés et en connaissaient la saveur. Nous écoutons chacun d'eux nous fredonner les mots de Pablo Neruda :

*Si je meurs survis-moi par tant de force pure*
*que soient mis en fureur le froid et le livide*

*que ton rire et ton pied surtout n'hésitent pas*
*et comme une maison habite mon absence*

Je ne suis sûre de rien. Le tourment m'habitera jusqu'à la tombe. L'inquiétude. L'intranquillité. Peut-être est-ce faire trop de bruit pour peu de chose. Peut-être serait-il plus raisonnable d'être raisonnable et de laisser passer. En convenir. S'en accommoder. Ne pas ajouter au trouble. Lorsqu'un pays est blessé, qu'il saigne encore, qu'il est tout de courbatures et d'ecchymoses, ne faut-il pas marcher sur la pointe des pieds, chuchoter et laisser faire en se défaussant sur le temps ? Après tout, puisque justement ce n'est pas efficace, qui risque quoi ? Justement, ceux qui risquent n'en ont cure et s'esquivent. Et s'esclaffent, avec grossièreté. Trop surpris d'emporter, sans l'avoir cherché, ni mérité, sans même l'avoir rêvé, d'emporter dans leur désintégration un fragment de notre intégrité. Ne vaut-il pas mieux alors un cri et une crise plutôt qu'un long et lent étiolement ? Je ne suis sûre de rien, sauf de ne jamais trouver la paix si je m'avisais de bâillonner ma conscience.

René Char conseille : « Signe ce que tu éclaires, non ce que tu assombris. » Voilà, je signe. Je prétends, là, éclairer. Non par la Vérité, car je ne sais si elle est majuscule et singulière. Mais par la cohérence et la fidélité à moi-même, à mes engagements, à ma vie, à ceux qui croient en moi. C'est la seule légitimité qui m'autorise à m'adresser à vous, jeunes gens, jeunes filles, en aînée responsable et avec tendresse.

# POSTFACE

# Que s'est-il passé?

L'incroyable. L'indicible. L'innommable. Au compte-gouttes. Sans doute que sur place ils sont débordés à secourir, soigner, réconforter, que tout change à la minute. Les informations remontent par plusieurs canaux, ceux de l'Intérieur, ceux de la Justice, ceux de la Santé. L'air est juste doux et frais dehors. La cellule de crise est en sous-sol, nous sommes nombreux, quatre autour du président de la République et les responsables de nos services emplissent la salle. Des pastilles s'ajoutent et se rapprochent, colorant les cartes projetées sur écran mural. Quelques exemplaires sont imprimés, nous y plongeons le nez et notre stupeur. Nous comparons avec ce que nos réseaux déployés sur les lieux, moi le procureur de Paris et la procureure de Bobigny, nous envoient sur nos téléphones portables. Nous en savons assez pour comprendre que rien de tel ne nous était arrivé, que rien n'aura plus la légèreté d'une nuit câline s'attardant sous l'été indien. Nos responsables de service sont très professionnels. Ils s'expriment tous, Renseignement, Police judiciaire, Parquet, Affaires étrangères, avec précision et sobriété.

Le Président a quitté le Stade de France avec le naturel, le pas mesuré, le visage avenant qui démentent toute inquiétude, malgré la déflagration entendue, apaisent ceux qu'il croise et empêchent l'effet d'affolement que sa sortie précipitée et son visage soucieux n'auraient pas manqué de provoquer. La panique se serait alors alliée aux criminels vaincus pour accomplir à leur place la sinistre besogne : des dizaines ou centaines de personnes piétinées, écrasées, mortes ou blessées.

Le Président a convoqué un Conseil des ministres à minuit. Au terme de ce Conseil, nous sommes trois à l'accompagner au Bataclan. La présence est dense – nombreux soignants et secouristes, véhicules, civières, appareils de survie –, pourtant tout est fluide. Les explications, là aussi, sont claires et concises. Un sentiment de survie, l'impression d'un dénouement de petit matin. Quelques images fugaces, on imagine le dormeur du val.

Une épreuve de plus. Et quelle épreuve ! L'impensable. Pensé, pourtant, puisque sur consigne du gouvernement, les équipes de secours et de soins s'étaient exercées le matin même à une opération de sauvetage de deux cents personnes victimes d'un attentat. Une simulation que le gouvernement a commandée pour parer à toute éventualité, une hypothèse plausible mais que l'on aurait voulu voir rester à l'état d'hypothèse. Le médecin-chef qui résume pour le Président le déroulement des opérations depuis le début de la soirée insiste sur le temps gagné et les vies sauvées grâce aux enseignements tirés de l'exercice de la journée.

Nous parcourons une centaine de mètres, cohue compacte enserrée par des officiers de sécurité lourdement armés, jusqu'au Bataclan. Sans mots inutiles, le procureur de Paris présente les premiers éléments d'enquête, sur le nombre de victimes recensées, les véhicules identifiés, un téléphone trouvé dans une poubelle.

C'est un ballet de dignité. Sous uniforme, en dossards, en brassards, ils circulent avec vélocité, manœuvrent les brancards, montent la garde, pantomimes lumineuses, c'est l'armée des bienfaisants.

Nous rebroussons chemin. L'air a l'air déplacé. Frais et doux toujours. Gêné et crâne en même temps, comme claudicant. Des riverains semblent effarés d'être encore debout dans la pénombre de leur balcon.

Le Président parle à la presse. Il parle en fait aux Français. La voix est ferme, les mots tranchants, le ton ardent et bienveillant.

Il nous convoque, ses ministres régaliens, chaque fois qu'il l'estime nécessaire, parfois deux fois dans la journée. Nous, à la Justice, devons tenir les deux bouts : l'enquête, qui doit progresser aussi vite que possible, et la prise en charge des familles de victimes. J'appelle mes homologues de Belgique, d'Allemagne, d'Espagne, d'Italie pour les prévenir que nous devrons peut-être aller très vite, que je pourrais être amenée à les solliciter pour qu'ils facilitent l'exécution de demandes d'entraide pénale, de commissions rogatoires, voire d'équipes communes d'enquête afin de conduire, selon des stratégies conjointes, le traitement d'informations sur les terroristes et l'émission d'actes de procédure, que nous pourrions avoir besoin de leurs fichiers pour identifier des empreintes papillaires et digitales, croiser nos informations sur des véhicules, des lieux, des lignes de téléphone. Toutes choses que nous ferons dans les quarante-huit heures. Pour l'expression publique sur les procédures, conformément à la règle que j'ai instaurée dès le début du quinquennat, je cède la préséance au procureur de la République. *A fortiori* sur des procédures aussi sensibles. Il arrivera par exemple que nous ne rendions publique une information qu'une semaine après l'avoir eue et vérifiée. Trouver le bon équilibre entre le légitime besoin d'information des Français et les nécessaires précautions pour ne pas fragiliser les procédures. Surtout celles-là !

Le Président est en vigilance. Il a le souci que tout soit mis en œuvre pour que l'enquête dispose de tous les moyens et de toutes les facilités utiles à la manifestation de la vérité, à l'identification des terroristes, leurs réseaux, leurs complices, leurs éventuelles exactions posthumes.

Il montre une attention pointilleuse à l'information, la prise en charge, l'accompagnement des victimes. Il se soucie de la capacité de l'État à faire face à cette situation exceptionnelle, mais surtout à la façon dont le dispositif conçu pour apporter toutes les réponses techniques, juridiques et matérielles parvient à faire place à l'empathie, à la délicatesse, à l'écoute aussi longtemps et aussi attentivement que nécessaire.

Deux jours et demi s'écoulent. Ou plutôt le pays titube en regardant le jour suivre la nuit, se dérober, déguerpir puis revenir. On a beaucoup répété que nous étions sidérés. Je crois que nous sommes abasourdis.

Deux jours et demi que l'état d'urgence est proclamé. Pour douze jours comme le prévoit la loi. Le

Parlement sera sollicité pour le prolonger de trois mois, toujours selon la loi. Le Président veut en consolider le socle. L'inscrire dans la Constitution, avec des motifs précis pour en fixer un cadre conforme à l'État de droit et à un État moderne. Éviter qu'il soit possible au pouvoir exécutif de déclencher l'état d'urgence pour des motifs imprécis, pour des durées abusives. En 1961, l'état d'urgence a duré deux ans. Cette loi de 1955, engendrée par la guerre d'Algérie, porte déjà sa charge originelle.

Deux jours et demi. Le pays suffoque encore. Le président de la République s'exprime devant le Parlement réuni en Congrès à Versailles.

Une révision constitutionnelle appelle une majorité de trois cinquièmes des voix parlementaires, députés et sénateurs. Elle entraîne à franchir la ligne partisane entre la majorité et l'opposition. L'enjeu et la science du moment peuvent y suffire. Souvent, presque toujours, il faut un compromis. Un pas vers l'autre. Une concession à l'autre. Un effort pour l'autre. Une écoute de l'autre. Une disponibilité à l'autre.

L'autre, supposé à la hauteur.

Mais si l'autre n'est que dérisoire, saugrenu, excessif ?

*Monter, grimper… mais se hisser ? Oh ! combien c'est difficile !*

Le Président se hisse.

La Droite… ?

*Paris, 18 janvier 2016*